ANALISI DEL LIBRO

Vite che non sono la mia

• • • • • • • • • • • • • • • •

Emmanuel Carrère

ANALISI DEL LIBRO

Scritto da Marie-Pierre Quintard
Tradotto da Sara Rossi

Vite che non sono la mia

Emmanuel Carrère

EMMANUEL CARRÈRE

SCRITTORE, SCENEGGIATORE E REGISTA

- **Nato a Parigi nel 1957.**

- **Opere degne di nota:**
  - *L'avversario (*2000), romanzo
  - *Limonov* (2011), romanzo
  - *Il Regno* (2014), romanzo

Emmanuel Carrère è nato a Parigi nel 1957. È scrittore, sceneggiatore e regista. Figlio della storica e accademica Hélène Carrère d'Encausse, specializzata in Russia, ha iniziato la sua carriera come critico cinematografico prima di passare alla narrativa con il suo primo romanzo, *L'amico del giaguaro* (1983). Da allora è stato pubblicato dalle Éditions P.O.L e ha ricevuto il Prix Femina nel 1995 per *Viaggio di classe*. Dopo *L'avversario*, che segue la storia dell'assassino Jean-Claude Romand, Carrère ha accantonato la narrativa per dedicarsi alla scrittura di documentari e storie, come *Un romanzo russo* (2007) e *Altre vite tranne la mia* (2009). Dopo aver scritto per diversi film direct-to-TV, nel 2005 è passato dietro la macchina da presa per dirigere l'adattamento cinematografico del suo romanzo *I baffi*.

VITE CHE NON SONO LA MIA

METÀ BIOGRAFIA, METÀ AUTORITRATTO

- **Genere**: romanzo autobiografico
- **Edizione di riferimento**: Carrère, E. (2012) *Other Lives But Mine*. Trans. Coverdale, L. Londra: Serpent's Tail
- **1° edizione**: 2011 (opera originale pubblicata in Francia nel 2009)
- **Temi**: tsunami, malattia, lutto, aiuto reciproco, altruismo, giustizia

Vite che non sono la mia è stato pubblicato nel marzo 2009. È la storia di diverse persone le cui vite si sono incrociate con quella di Carrère: una giovane coppia che perde la figlia di quattro anni a causa di uno tsunami, e una donna colpita dal cancro che deve rassegnarsi a morire e a lasciare il marito e le loro tre bambine da soli.

Attraverso questi racconti, Carrère racconta la propria vita, in particolare la nuova visione della vita che gli ha dato la testimonianza di questi eventi. Biografia e autoritratto si fondono in un libro di rara emozione.

SINTESI

IL DEVASTANTE TSUNAMI

Nel dicembre 2004, il narratore, che il lettore riconosce subito come Emmanuel Carrère, e la sua compagna Hélène stanno trascorrendo le vacanze in Sri Lanka. La relazione va male e i due stanno pensando di lasciarsi. All'improvviso, uno tsunami si abbatte sulle coste dell'Asia meridionale, distruggendo tutto ciò che incontra. Hélène ed Emmanuel, che alloggiano in un hotel arroccato su una scogliera, sono illesi, ma Jérôme e Delphine, una coppia francese conosciuta pochi giorni prima, perdono la figlia Juliette di 4 anni a causa dell'onda anomala. Come donna d'azione, Hélène decide di aiutare Jérôme a trovare il corpo della figlia. Vengono a sapere che è stato trasportato all'ospedale di Colombo. Essendo una giornalista, Hélène è abituata a reagire rapidamente in caso di crisi e dimostra una grande forza nel sostenere le vittime. Emmanuel, smarrito e inefficace, si sente un po' geloso della sua compagna.

Il giorno dopo partono tutti per Colombo. Trovano il corpo di Juliette, ma i suoi genitori si rifiutano di seppellirla, perché non sopportano il pensiero di metterla in una bara. Poiché per motivi sanitari possono portarla a casa solo in una bara di piombo, scelgono di cremare il corpo proprio lì.

In un ospedale, Hélène e Jérôme incontrano Ruth, una giovane donna scozzese alla ricerca del marito, che potrebbe essere morto per quanto ne sa. Viene con loro in albergo. Hélène la costringe a chiamare la sua famiglia. Ruth lo fa e scopre che il marito è vivo, ma ferito. Si trova in un ospedale a circa 30 miglia dall'hotel. Trascorrono la serata tutti insieme. Jérôme e Delphine si sforzano di festeggiare la buona notizia di Ruth nonostante il loro dolore. Più tardi, tutti prendono l'aereo per tornare in Francia.

Due settimane dopo essere tornati a casa, Hélène ed Emmanuel decidono di restare insieme e di dare una seconda possibilità alla loro relazione. L'esperienza dello tsunami li ha avvicinati. Tuttavia, Hélène viene a sapere che la sorellina Juliette, che ha trentatré anni, è di nuovo malata di cancro e che la sua salute sta peggiorando rapidamente. Si recano quindi a trovarla.

La malattia era comparsa per la prima volta quando aveva sedici anni. All'epoca le fu detto che aveva un linfoma. Fu sottoposta a un trattamento di radioterapia e, dopo qualche mese, le fu detto che era guarita. Tuttavia, l'estate successiva, i medici notarono che la radioterapia aveva danneggiato il suo corpo. Da allora era stata costretta a camminare con le stampelle, poiché una delle sue gambe era rimasta completamente paralizzata.

Qualche settimana dopo, Hélène riceve una telefonata urgente: Juliette sta morendo. Nel cuore della notte è stata colta da un attacco di tosse che le ha impedito di respirare. I medici si rendono subito conto che non c'è nulla da fare: sta per morire. Juliette prende la notizia con coraggio. Viene portata in terapia intensiva e ha un solo desiderio: sopravvivere fino al giorno successivo per poter vedere le sue tre bambine dopo lo spettacolo scolastico. Ce la fa. Muore durante la notte, tra le braccia del marito Patrice.

Il giorno dopo, tutta la famiglia è invitata a casa del collega di Juliette, Étienne, al quale era molto legata. Erano entrambi giudici presso il tribunale di Vienne e avevano perso l'uso di una gamba a causa di un cancro in gioventù. Durante il loro lavoro, difendevano le stesse cause, cercando di applicare la vera giustizia nei casi di recupero crediti di cui erano incaricati: "Juliette e io eravamo grandi giudici" (p. 90), spiega Étienne alla sua famiglia.

LA VITA DI JULIETTE

Étienne suggerisce a Emmanuel di scrivere un libro su Juliette. Emmanuel accetta e inizia a fare ricerche sulla sua vita, venendo a fare domande a Étienne in diverse occasioni. Étienne gli racconta la sua vita e il suo lavoro con Juliette. Parla del cancro che ha avuto quando era adolescente. All'epoca fu sottoposto a un'operazione che avrebbe dovuto rimuovere le cellule tumorali. Tuttavia, all'età di ventidue anni, il cancro si era ripresentato ed egli aveva subìto l'amputazione della gamba.

Dopo la laurea, Étienne incontrò Nathalie. Andarono a vivere insieme e, in breve tempo, Nathalie diede alla luce un bambino. Étienne ottenne un lavoro presso il tribunale civile di Vienne, dove conobbe Juliette. Dopo otto anni come giudice, Étienne fu trasferito a Lione come giudice istruttore. Non lavorò più con Juliette, ma i due si vedevano di tanto in tanto.

In quel periodo Juliette lavorava molto e si sentiva sempre più stanca. Nel marzo 2004 diede alla luce la terza figlia, Diane. Una notte di dicembre cominciò ad avere problemi di respirazione e si scoprì che aveva un'embolia polmonare.

Confidò la sua paura di morire a Étienne, ma non disse nulla a Patrice. In seguito si scoprì una complicazione dell'embolia e i medici trovarono delle metastasi nel corpo di Juliette: era di nuovo malata di cancro. Iniziò la chemioterapia ma, purtroppo, i risultati non furono buoni: il trattamento non funzionò. Dopo averlo scoperto, Juliette capì che doveva prepararsi a morire. Chiese ai suoi vicini di organizzare il funerale e disse loro che contava su di loro per prendersi cura delle sue figlie. Chiese anche a un'amica di scattarle il maggior numero possibile di foto, in modo che Diane, che non sarebbe stata in grado di ricordarla, avesse almeno le foto. A maggio, i medici interruppero il trattamento perché non aveva effetti positivi.

Emmanuel interroga poi Patrice, il marito di Juliette. Gli racconta della sua infanzia e di come aveva conosciuto sua moglie. All'inizio, il fatto che fossero così diversi li aveva preoccupati e avevano preso in considerazione l'idea di separarsi, ma si erano presto resi conto di essere fatti l'uno per l'altra.

L'autore si reca quindi a casa dei genitori di Juliette per ascoltare la sua prima esperienza di cancro quando era adolescente. Per loro è molto difficile parlarne, anche tra di loro, ma accettano di farlo nella speranza che il libro possa un giorno fare del bene alle figlie di Juliette e Patrice.

Quando torna a casa dopo aver trascorso alcuni giorni con Patrice, Emmanuel scopre che Hélène è incinta. Nove mesi dopo nasce una bambina, che i due chiamano Jeanne. Alla fine, si rende conto che queste due tragedie (lo tsunami e la morte di Juliette) lo hanno reso una persona più calma e che la nascita di sua figlia lo ha reso veramente felice. Poiché vuole passare più tempo possibile con la sua bambina appena nata,

Emmanuel non finisce il libro per altri tre anni. Invia il manoscritto a Étienne e Patrice, dicendo loro che possono cambiare tutto ciò che vogliono.

Più tardi, Emmanuel rivede Delphine e Jérôme. Ora hanno due figli, ma non hanno ancora dimenticato la piccola Juliette.

STUDIO DEL CARATTERE

IL NARRATORE

Il narratore del libro non viene mai nominato. Tuttavia, non ci vuole molto per capire che Carrère si nasconde dietro l'io del romanzo.

È scrittore e regista. Ha un figlio di tredici anni, nato da un precedente matrimonio, di nome Jean-Baptiste. Si descrive in un modo non sempre molto lusinghiero. All'inizio del romanzo, nei giorni immediatamente successivi allo tsunami, è smarrito, completamente privo di fiducia in se stesso e geloso della sua compagna, poiché è più capace di lui di sostenere le vittime. Un uomo piuttosto tormentato e mai soddisfatto, che non si è mai permesso di essere felice. "Io che vivo nell'insoddisfazione, in una tensione costante, rincorrendo sogni di gloria e distruggendo i miei amori perché immagino sempre che un giorno, da qualche altra parte, troverò qualcosa di meglio" (p. 24).

I due tragici eventi a cui assiste cambiano la sua visione della vita. Alla fine del romanzo è molto più sereno. Sebbene stesse pensando di rompere con Hélène prima dello tsunami, nel corso dei pochi giorni che trascorrono in Asia si rende conto di voler lottare per mantenere viva la loro relazione: "Mi dico che questa lunga vita insieme *deve* accadere: se devo riuscire in una cosa prima di morire, è questa" (p. 35). Qualche mese dopo, quando Juliette, prossima alla morte, afferma che la sua vita è stata un successo, Emmanuel ammette a Hélène che, se si fosse posto la stessa domanda, "avrei risposto di no" (p. 68). Continua con:

> "Avrei detto di essere riuscito in alcune cose, [...] ma l'essenziale, cioè l'amore, mi sarebbe sfuggito. Ero amato, sì, ma non avevo imparato ad amare – o non ne ero stato capace, che è la stessa cosa. [...] E poi, dopo l'onda, ho scelto te, ci siamo scelti a vicenda, e ora niente è più come prima" (pp. 68-69).

Quando alla fine del romanzo nasce la figlia, questa nuova sensazione di serenità diventa ancora più forte:

> "[...] il miracolo in cui avevo sperato senza crederci avvenne: la volpe che mi rodeva i polmoni se ne andò. Ero libera. Passai un anno a godermi il semplice fatto di essere viva e di veder crescere nostra figlia. Non avevo idee su ciò che sarebbe venuto dopo, ma nemmeno preoccupazioni" (p. 235).

HÉLÈNE

Hélène è la compagna di Emmanuel. È una giornalista e ha anche un figlio, di nome Rodrigue, avuto da un precedente matrimonio. Fin dall'inizio del libro capiamo che è una donna d'azione, sicura di sé e che sa cosa vuole. Dopo lo tsunami, non si lascia sopraffare dalle emozioni e fa tutto il possibile per aiutare le vittime: "Hélène [...] dedica tutte le sue energie a fare quello che può, perché anche se si tratta di qualcosa di misero, deve comunque farlo. È attenta, prudente, fa domande, pensa a tutto ciò che può essere utile" (p. 18).

Fin dall'inizio del romanzo è preoccupata per la sorella Juliette. Le due non sono sempre state molto unite e Hélène non la vede molto. Tuttavia, rimane al suo fianco fino alla fine e vuole avere un ruolo attivo nell'educazione dei figli di Juliette dopo la morte della sorella.

JÉRÔME, DELPHINE, JULIETTE E PHILIPPE

Jérôme e Delphine sono una giovane coppia con una figlia di quattro anni, Juliette. Philippe, il padre di Delphine, è diventato un caro amico di Jérôme. Spesso trascorrono le vacanze insieme in Sri Lanka. Questa piccola famiglia francese apprezza i semplici piaceri della vita, in particolare le sere d'estate quando chiacchierano insieme davanti a una grande bottiglia di vino. Seguono il flusso della vita e sono soddisfatti di ciò che hanno.

Quando nel 2004 lo tsunami spazza via Juliette, Jérôme, Delphine e Philippe sono uniti da un forte senso di solidarietà. Jérôme fa di tutto per salvare la moglie dal dolore che minaccia di inghiottirli. Finalmente, molti anni dopo, hanno altri figli. Due giorni dopo lo tsunami, Delphine accetta di occuparsi di Rodrigue, il figlio di Hélène, e questo la salva: "No, occuparmi di un bambino due giorni dopo la morte di mia figlia, proprio non potevo, ma lei aveva detto di sì, e da allora aveva continuato, nonostante tutto, a dire di sì" (p. 239).

JULIETTE

Juliette è la sorella minore di Hélène. Ha avuto un cancro quando era adolescente e ha perso l'uso di una gamba in seguito alla radioterapia. Da allora zoppica. A trentatré anni, non molto tempo dopo la nascita della terza figlia, il cancro si ripresenta, questa volta ai polmoni. Muore alcuni mesi dopo.

Proviene da una famiglia elitaria, cattolica e piuttosto di destra. Come giudice, è calma e rassicurante. È una donna volitiva e determinata. Guarda sempre la vita negli occhi:

quando scopre che il suo cancro è tornato, chiede ai medici di essere onesti con lei. È altrettanto onesta con le sue figlie e non nasconde il fatto che sta per morire. Sa cosa vuole fino alla fine: quando si rende conto che la sua morte è imminente, chiede ai medici di tenerla in vita fino a sabato pomeriggio, in modo da poter vedere le figlie dopo lo spettacolo scolastico: "L'infermiera fu impressionata non solo dal suo coraggio, ma ancor più dalla sua lucidità e dalla sua determinazione" (p. 58).

PATRICE

Patrice è il marito di Juliette. Juliette è la capofamiglia della loro relazione; lui è un disegnatore di fumetti e si occupa della casa. È un uomo molto semplice ("I progetti di carriera non gli interessavano, e nemmeno le preoccupazioni", p. 153) che trova facile fidarsi delle persone. Viene dalla campagna e quindi da un ambiente sociale molto diverso da quello di Juliette, il che ha causato molti problemi all'inizio della loro relazione. La sua semplicità va di pari passo con l'umiltà: "Non era orgoglioso né si vergognava di se stesso. Accettare di essere indifeso gli dava una grande forza" (p. 159). Prende la vita come viene: "Patrice vive nel presente. Quello che i saggi di tutta la storia hanno proclamato il segreto della felicità, essere qui e ora senza rimpiangere il passato o preoccuparsi del futuro, è qualcosa che lui pratica con naturalezza" (p. 204).

ÉTIENNE

Étienne è il migliore amico di Juliette. Sono entrambi giudici e si incontrano al tribunale di Vienne, dove iniziano a lavorare insieme. Fin dal loro primo incontro, si identificano l'uno con l'altro, perché entrambi hanno perso l'uso di una gamba a causa del cancro: "Avevano conosciuto la stessa sofferenza, quella che non si può capire senza averla vissuta. Venivano dallo stesso mondo" (p. 174). Questi legami creano un'amicizia molto forte tra i due: possono parlarsi della loro malattia con totale onestà e dirsi "sono stufo" (p. 172) quando non vogliono dirlo alla famiglia. Perdere Juliette significa perdere l'unica persona con cui Étienne poteva veramente parlare, senza trattenere nulla: "Fino alla morte ci saranno cose che non potrò più raccontare ad anima viva. È finita. L'unica persona a cui avrei potuto dirle senza che fosse triste se n'è andata" (p. 232).

ANALISI

METÀ BIOGRAFIA, METÀ AUTOBIOGRAFIA

La quarta di copertina della versione francese del libro ci dà un'idea di cosa aspettarci: "È tutto vero". Il lettore si convince subito: il narratore si esprime in prima persona singolare e non viene mai nominato, ma non ci vuole molto per capire che il narratore è anche l'autore, Emmanuel Carrère. Lo confermano l'accenno a un suo film ("Qualche mese prima avevo girato un film sul mio romanzo *I baffi*" p. 34) e il fatto che egli affermi di essere uno scrittore ("Durante una delle nostre pause sigaretta sul ciglio della strada, Philippe mi prese da parte e mi chiese: 'Allora, sei uno scrittore. Hai intenzione di scrivere un libro su questo?'", p. 46). Inoltre, il primo evento che Carrère descrive è realmente accaduto: il 26 dicembre 2004, un terremoto di magnitudo 9 al largo delle coste dell'Indonesia ha causato uno tsunami che ha colpito diversi Paesi dell'Asia meridionale.

Inoltre, anche la struttura del libro riflette bene l'aspetto saggistico della storia: l'autore espone i fatti (la morte della piccola Juliette e quella della sorella di Hélène) prima di ogni altra cosa, con un'emozione cruda e ricca di piccoli dettagli. Solo in un secondo momento fa un'analisi più lucida dei fatti, concentrandosi in particolare sulla morte della sorella di Hélène, Juliette: interroga Étienne, Patrice e i genitori, quasi come se conducesse un'indagine. Ci offre quindi una biografia completa di Juliette.

Mentre descrive questi due tragici eventi e la vita di Juliette, l'autore confida al lettore le proprie emozioni, i propri sentimenti e la propria evoluzione. La biografia di Juliette si mescola a un certo tipo di autobiografia: l'autore parla della sua relazione, dei suoi libri passati, delle riprese del suo film e così via. Il libro tocca eventi così personali che a volte il lettore ha l'impressione che non sia mai stato pensato per essere pubblicato. Sembra che l'autore abbia avuto la necessità di scrivere questa storia per venire a capo di ciò che ha vissuto e per aiutare i tre figli di Juliette: "E io che sono così lontano da loro, che per il momento – e sapendo quanto sia fragile – sono felice, vorrei offrire il conforto che posso, per quanto piccolo, ed è per questo che questo libro è per Diane e le sue" (p. 243).

GIUSTIZIA E MALATTIA

È importante notare che Carrère decise di scrivere questo libro dopo aver conosciuto l'amico di Juliette, Étienne Rigal. Una frase in particolare, pronunciata dal giudice al momento del loro primo incontro, motiva la sua decisione: "Una delle cose che mi ha fatto venire voglia di scrivere questa storia è il modo in cui Étienne ha detto, la prima volta che ci siamo incontrati, 'Juliette e io, che eravamo grandi giudici'" (p. 90). In effetti, c'è un elemento assoluto nel modo in cui Juliette ed Étienne svolgono il loro lavoro, una lodevole determinazione a fare giustizia. Si occupano di casi di recupero crediti che coinvolgono le persone più povere della società, dove le società di credito chiedono ai loro clienti interessi esorbitanti e spese di mora. Di fronte a situazioni che sembrano così bianche e nere, i due giudici sono attenti a mantenere la loro integrità. Étienne afferma che "Juliette non avrebbe voluto che si dicesse che stava dalla parte dei poveri: sarebbe stato troppo semplice, troppo romantico; soprattutto, non sarebbe stato giuridico e lei era soprattutto una giurista" (p. 79). Quando spiega la propria vocazione, Étienne esprime l'importanza di "dire ciò che è giusto e di dispensare giustizia" (p. 90).

Sebbene sia senza dubbio l'incessante ricerca della correttezza a cementare l'amicizia tra i due, anche il loro atteggiamento comune nei confronti della malattia gioca un ruolo importante. Ognuno di loro, infatti, mostra coraggio e lucidità a modo suo di fronte alla malattia che divora il loro corpo. Una forma di accettazione (che però non è una forma di rinuncia) la percepiamo quando Étienne parla della sua prima notte in ospedale, quando aveva appena scoperto di avere il cancro: "È una distruzione psichica; può essere una rifondazione" (p. 80). Questa "rifondazione" si basa sulla rivelazione avuta quella notte: "Le cellule cancerose sono voi, proprio come quelle sane. Voi siete queste cellule cancerose. [...] Il vostro cancro non è un avversario" (p. 94). È possibile combattere la malattia se la si riconosce. È interessante notare il parallelo che Carrère fa nel libro, che risuona attraverso la parola "avversario" citata sopra: "Il linfoma di Hodgkin, il cancro che Romand [il protagonista de *L'avversario*] aveva finto di avere per dare un nome accettabile all'indicibile che lo possedeva, era quello che Juliette aveva avuto più o meno nello stesso periodo, e per davvero" (p. 83). Di conseguenza, la malattia immaginaria e il comportamento mostruoso di Jean-Claude Romand si contrappongono al male reale e senza speranza che Juliette sopporta con coraggio grazie alla sua vita felice e realizzata.

In fondo, Juliette guarda la sua malattia dritto negli occhi: sa che morirà e non cerca di nasconderlo a se stessa o ai suoi cari. La speranza ossessiva che ripone nella lotta per la giustizia attraverso il suo lavoro può essere intesa come un modo per compensare il fatto che lei stessa non conoscerà la giustizia. In ogni caso, questo è uno degli aspetti che Philippe Lioret, il regista dell'adattamento cinematografico del libro, *Tutti i nostri desideri, ha* scelto di sottolineare.

UN ROMANZO NON NARRATIVO

L'emergere di un nuovo genere letterario

Da alcuni anni è evidente che in Francia sempre più premi letterari vengono assegnati a libri del genere cosiddetto "romanzo di non-fiction", ovvero la storia è basata su fatti reali, mentre la struttura utilizza tecniche della finzione letteraria. L'aspetto romanzesco del romanzo, che in origine era la caratteristica distintiva del genere, oggi non è più così evidente e i confini tra giornalismo, immaginazione e persino autobiografia si fanno sempre più labili. Gli americani hanno chiamato questa categoria di libri ibridi "creative nonfiction". Norman Mailer (1923-2007) e Truman Capote (1924-1984) sono considerati i pionieri del genere.

È questo il genere in cui rientrano i libri di Carrère, in particolare *L'avversario*, che segna il primo passo dell'autore in questa nuova forma di letteratura. Questi "romanzi" nascono spesso come lunghi articoli pubblicati su riviste o giornali. È quanto è accaduto con *Vite che non sono la mia*, la cui prima stesura era un racconto sullo tsunami pubblicato su *Paris Match* nel gennaio 2005; il testo è riapparso con il titolo *Death in Sri Lanka* nell'ultimo libro dell'autore, *Il est avantageux d'avoir où aller* ("È bello avere un posto dove andare", 2016).

Scrivere con empatia

Ciò che interessa a Carrère è soprattutto "scrivere di vite" (*La fin du roman?*, 2011). Anche se non scrive della propria vita, a differenza di un'autobiografia, le vite che racconta risuonano con la sua, ed è questo slittamento tra la propria esistenza e quella degli altri che gli permette di raggiungere l'universale e di comprendere ciò che "tocca ciascuno di noi" (quarta di copertina dell'edizione francese de *L'avversario*, 2000). Di conseguenza, come dice il magistrato Philippe Bilger, "per Carrère l'immaginazione è molto meno stimolante e ricca dell'empatia" (Bilger, *D'autres vies... et celle d'Emmanuel Carrère*). È a questa sorta di fraternità assoluta che Carrère aspira quando vuole "essere degno di rivendicare" questa citazione dello psicoanalista Pierre Cazenave che definisce la sua arte come una "solidarietà incondizionata con ciò che la condizione umana riserva di insondabile angoscia" (p. 111).

Lo scrittore come portavoce e intermediario

Il ruolo dello scrittore, secondo Carrère, è quindi quello di essere un portavoce, senza negare la soggettività che gli permette di entrare in empatia con gli altri. Étienne Rigal ha individuato correttamente la posizione dell'autore, come sottolinea l'autore: "Sapeva che parlando di lui, avrei necessariamente parlato di me stesso" (p. 86). Il giudice non è l'unico personaggio del racconto a capirlo. Hélène non si oppone al progetto di Emmanuel di scrivere un libro sulla sorella; al contrario, riconosce il merito dell'idea.

Si potrebbe quindi dire che allo scrittore è affidata una missione, quella dell'intermediario che deve far emergere ciò che unisce gli individui nonostante le loro differenze per formare un'unica umanità ("Preferisco ciò che ho in comune con le altre persone a ciò che mi distingue da loro", p. 242). In più occasioni, l'autore sottolinea l'idea che esista un divario insondabile tra le persone che hanno vissuto tragedie come quelle che descrive e quelle che non le hanno vissute: "Solo ieri sera erano come noi e noi come loro, ma a loro è successo qualcosa e a noi no, quindi ora apparteniamo a due rami separati dell'umanità" (p. 19).

Per le persone che si trovano da una parte e dall'altra di questo abisso, la comprensione reciproca è ancora più difficile perché sono costrette a interagire l'una con l'altra. La libertà di espressione tra Juliette ed Étienne è in contrasto con la moderazione tra Juliette e Patrice:

> "[...] la regola – e notano che entrambi la seguono – è di non parlare di queste cose con gli altri. E con questo intendono gli altri: Nathalie per lui, Patrice per lei [...] è importante nascondere loro questi pensieri particolari, perché provocano dolore" (p. 172).

Di fronte all'indicibile, il narratore suggerisce due diverse reazioni: l'azione, incarnata da Hélène, che agisce senza risparmiare un pensiero a se stessa; e la scrittura per lui, che, sebbene possa sembrare inutile e inefficace in un momento di crisi, può forse aiutare chi resta o, quantomeno, aiutarci a comprendere meglio ciò che è accaduto.

ULTERIORI RIFLESSIONI

ALCUNE DOMANDE SU CUI RIFLETTERE...

- Quali elementi del romanzo dimostrano che non si tratta di un romanzo di fantasia?

- Come descrivereste la personalità dell'autore-narratore?

- Secondo voi, qual è la ragione dell'emozione che proviamo nel corso del romanzo?

- L'autore è testimone di due eventi tragici. Che cosa ne ricavate?

- Quale visione della malattia ci dà l'autore attraverso questo libro?

- Secondo voi, a chi era destinato questo libro? Perché pensate che Carrère l'abbia scritto?

- Quale messaggio l'autore vuole che traiamo dal suo libro?

- Confrontate questo libro con *L'avversario* (2000), un altro romanzo di Carrère. Quali sono i punti in comune tra i due romanzi?

- Cosa distingue il romanzo non narrativo dall'autobiografia romanzata?

- Come si è mosso Carrère per scrivere questo libro? In che modo questo lavoro preliminare assomiglia al giornalismo?

ULTERIORI LETTURE

EDIZIONE DI RIFERIMENTO

Carrère, E. (2012) *Other Lives But Mine*. Trans. Coverdale, L. Londra: Serpent's Tail.

STUDI DI RIFERIMENTO

Bilger, p. (2014) D'autres vies… et celle d'Emmanuel Carrère. *Justice au Singulier*. [Online]. [Accessed 21 April 2017]. Disponibile da: <http://www.philippebilger.com/blog/2014/08/dautres-vieset-celle-demmanuel-carr%C3%A8re.html>

Carrère, E. (2016) *Il est avantageux d'avoir où aller*. Parigi: Éditions P.O.L.

Caviglioli, D. e Leménager, G. (2011) La fin du roman? *Le Nouvel Observateur*. [Online]. [Accessed 21 April 2017]. Disponibile da: <http://bibliobs.nouvelobs.com/rentree-litteraire-2011/20111125.OBS5320/la-fin-du-roman.html>

ADATTAMENTO

D'autres vies que la mienne. (2011) [Film]. Philippe Lioret, direttore. Francia: Mars Distribution.

Vogliamo sapere da voi!
Lasciate un commento sulla vostra biblioteca online
e condividete i vostri libri preferiti sui social media!

Perché scegliere Must Read?

Scoprite tutto quello che c'è da sapere su un libro, con i nostri riassunti e le nostre analisi concise e approfondite!

Scoprite il meglio della letteratura sotto una luce completamente nuova!

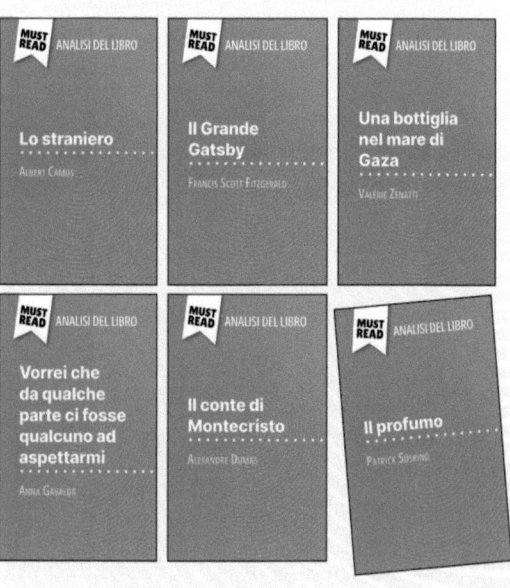

MUST READ ANALISI DEL LIBRO

Lo straniero

ALBERT CAMUS

MUST READ ANALISI DEL LIBRO

Il Grande Gatsby

FRANCIS SCOTT FITZGERALD

MUST READ ANALISI DEL LIBRO

Una bottiglia nel mare di Gaza

VALÉRIE ZENATTI

MUST READ ANALISI DEL LIBRO

Vorrei che da qualche parte ci fosse qualcuno ad aspettarmi

ANNA GAVALDA

MUST READ ANALISI DEL LIBRO

Il conte di Montecristo

ALEXANDRE DUMAS

MUST READ ANALISI DEL LIBRO

Il profumo

PATRICK SÜSKIND

www.50minutes.com

www.50minutes.com

Master ISBN: 9782808690584
ISBN cartaceo: 9782808611985
Deposito legale: D/2023/12603/1478

Copertura: © Primento

Concezione digitale a cura di Primento, il partner digitale degli editori.